大久保長安
家康を創った男！

山岩 淳

八王子の町を作った長安！

家康が陣鐘を求めて八王子へ！

はじめに

歴史を学ぶには、ストーリーを理解しやすいテレビドラマか小説、漫画がいいといわれる。前作『乱世！　八王子城』に続いて、八王子城の落城後、現在にまで残る八王子の町作りに辣腕を揮った代官頭の大久保長安を小説にし、紹介することにした。代官頭として日本全国の金山、銀山を再開発し、徳川の財政基盤を作ったことで有名な人物である。

書中の時代背景、八王子の歴史、現在地との関連性などは、本文の中で説明してある。難しい歴史用語、土地名、人名などはページの欄外に載せ、補足が必要な用語などは、章の区切りのいいところでまとめて説明してある。用語の意味の分かる人は飛ばして読んでも差し支えない。

八王子市民を初め、多くの人たちに、長安がいかにして町作りと徳川の財政基盤を構築したか、また、多くの人を動員してどのようにして金山・銀山を開発していったのかを知ってほしいと思う。石見銀山から産出した銀は、当時、世界中に出回っていた銀の総量の三分の一を占め、世界の貨幣機能を担っていたという。

残念なことに、前作の北条氏照同様、長安も最後は悲劇の主人公になってしまう。余りにも権力が大きくなり過ぎたゆえか、長安の死後、子息七人が切腹させられてしまったからである。

ともかくも、この小説を読んで、八王子の市内に残る多くの史跡や遺跡を歩いていただき、歴史のロマンに浸っていただければ著者の望外の喜びである。

二〇二〇年十月十日

目次

・装画　金子　純子
・装幀　遠藤　進

一、家康八王子へ

　天正十八年（一五九〇）、武州横山（現在の八王子）の**高山城**で、**家康**が八王子城のある深沢山方面を見つめていた。おもむろに、傍らの長安に話しかけた。

「長安、まだ連絡が入らぬか」

「はい、いまのところ、あらたな情報は入っておりません。八王子城は広大ゆえ、手分けをして探しているはずです」

「む、北の方に赤と青の煙が昇っているが、あれは何だ」

「おお、やっと！　**陣鐘**が見つかったようです」

　戦国時代の連絡は**狼煙**（のろし）、鐘、早馬、忍者などが用いられており、北条氏も狼煙をあげて、八王子城から各支城を経由し、根拠地である小田原城に連絡していた。

高山城　家康　陣鐘　狼煙

高山城も経由する支城の一つだった。

しばらくして鐘の音が聞こえてきた。

「大殿様、探していた北条の陣鐘のようです。名鐘の誉れ高いだけあって、特徴のある音でございまするな」

「うむ。カーンと鳴ったあとに、何回も唸っておるぞ」

半時（はんとき）ほどして、鐘を探していた**半蔵**が帰ってきた。

半蔵を長安がねぎらった。

「広い城の中からよく見つけたな、ご苦労だったぞ」

「焼けたのではないかと心配しておりましたが、本丸の近く、斜面の藪でやっと見つけました」

「そうか、それは苦労をかけたな」

「先ほど鳴らした音は、その陣鐘のものです。小さな陣鐘ですが、思ったよりも重く、暫くすれば、こちらに持ち込まれるものと存じます」

半蔵（服部半蔵）　半時（今の1時間）

「おお、それは楽しみだ。ところで、八王子城下はどうだった」

「城下は荒れ放題で、浪人、浮浪者などがうろうろしており、危険です。立ち入らない方が得策かと」

この会話をじっと聞いていた家康は、北条との戦いが終わった直後から、これから自分の領地になる八王子を見ておきたいと考えていた。半蔵が中座したのを機に、長安に語りかける。

「話は変わるがの、長安。八王子城は**詰城**として小田原城を支えてきた。これからの八王子をどうしたものじゃろうな」

「これからは戦のない時代がやってくるでしょう。防衛の拠点のみならず、八王子を、江戸を支える商いと流通の中心地としてはいかがでしょうか」

「それはいい考えだ。長安、そのあたりをしっかりと考えておいてくれ、頼んだぞ」

詰城

そんな話をしている間に、十数人の担ぎ手によって陣鐘が家康の前に運ばれてきた。

「小柄ながら立派な鐘ではないか」

再び現れた半蔵が陣鐘について説明を始めた。

「見てください、こちらを。八王子城の戦いでついたと思われる新しい刀傷が二つほどございます」

「おお、なるほど、確かに。八王子城の戦いは壮絶だったと聞いておるが、この傷がそれを示しておるな」

長安が感慨深げにうなずく。ふと、鐘の文字に手を伸ばす。

「何か字が書いてあるが、どうにも下手な字だな」

「さようで。北条が陣鐘として使う前は、**多摩の横山**の**小野神社**で、朝な夕なに時を知らせ、町民に慕われていたようです」

「そうか、もとは庶民の鐘だったのか」

「鐘の文字によれば、応永十年（一四〇七）に鋳造されたものでございます。その後、巡り巡って北条の陣鐘として使われ、北条の数々の戦で勝鬨をあげています。天下の名鐘といえましょう」

家康は俄然、興味をひかれたようで、手にした扇子で鐘を指した。

「ほほう、天下の名鐘とな。間近に聞いてみたい。鳴らしてみよ」

「ははっ。打ってみましょう」

カーンと鳴った後に何回も唸りながら長く続く特徴的な音色だった。

「このように長い間、共鳴音が続く鐘の音は聞いたことがないな。これであれば、戦いの最中でも他の鐘とも識別できるのう」

この鐘は、家康の手に渡ったあとも流転を繰り返し、現在は神奈川県逗子市の**「海宝院」**本堂に安置されている。何度も盗難にあったらしく、今は公開されていないため、この鐘の音をそばで

海宝院

聞くことはできない。東京都町田市の小野神社には鐘のレプリカがあり、誰でも打つことができる。過去に両方の鐘の音を聞いたことのある人がいるが、微妙に違っているという。

【半蔵（服部半蔵）】
先祖は伊賀の忍者で、代々この名を引き継いでいる。信長が光秀に暗殺されたとき、岡崎城までの敵の多い道を、伊賀の忍者を使って岡崎城まで家康を案内したことで有名である。江戸城の半蔵門は半蔵からとった名である。

【高山城】
現在の八王子市館町にあった城（館）。詳しく知りたい方は『多摩の古城址』（小幡晋著、武蔵野郷土史刊行会）を参照。

二、八王子の町作りを依頼

徳川家康は、敵ながら武田信玄を尊敬していた。関東の政治体制を固めるために、武田の政治、治水、鉱山技術などを活用したいと考えていた。かつて武田に仕えていた長安はうってつけの人材である。民政の実績が豊富だったので、八王子の町作りを任せてみようと考えていた。

八王子の高山城で北条の陣鐘を聞いた数日後に、江戸城の奥の間で、長安は家康の現れるのを待っていた。ジリジリするような時間が過ぎていく。

ようやく家康が奥から現れた。

「呼び立ててしてすまぬな」

「とんでもないことでございます」

「実はの、今日は先般、高山城で話したことをもう少し具体的に相談したく思い、そちに来てもらったのじゃ。

八王子を今後どうすべきかの」

「ははっ。それがしの考えでは、戦いの時しか使わない山城は廃城にすべきかと」

「廃城にしたとしてじゃ。その後はどうする気じゃ」

「太閤様の天下統一で、戦はもう起こらないと考えるのが自然でしょう。新たに、日常的に使える平地に町立てを行い、町民が商いをしやすい場所を設けるのが得策かと」

「ふうむ。戦が起こらない、とな。万が一、戦が始まった時にはどうすればよいのじゃ」

「緊急時にも対応できるような町作りをすべきと存じます」

「となるとじゃ、北条が目指してきたことを全て止めることになるぞ」

「全てではございませぬ。北条は、民衆を大事にしました。さらに、町民の文化や神社仏閣も庇護してきました。そうした政策はそのまま引き続き活用を」

「うむ。そこに住む者たちから支持されてこその統治であろうからな。彼らの本音はどう聞き出すのじゃ」

「半蔵を使って、民衆の本音をとらえたいと存じます」

武田信玄は、他の戦国大名のような、立派な城は持っていなかった。「人は石垣、人は城、人は堀」という言葉を残すほど、民衆を含む人材を有効活用することに長けていた。家康は、なぜ長安が武田時代に活躍できたかがよく分かった気がした。このままいけば、八王子でも活躍してもらえそうだと直感した。

「今回相談したことを基本にし、ひと月ほどで八王子の再開発計画をまとめてほしい」

「御意に」

三、家康との出会い

話はさかのぼり、天正十年（一五八二）三月十一日のこと。**武田勝頼**が織田の軍勢に追い詰められて、天目山の戦いで妻や子息とともに自刀、最強の軍といわれた武田家が、信玄の死亡からわずか十年で滅亡した。

当時、武田に仕えていた**藤十郎**（後の大久保長安）は、落武者狩りを逃れて、目立たないように百姓としてひっそりと生活をしていた。

武田を攻め立てた織田信長は、負けた一族の家臣、将兵、女子どもまで容赦なく殺戮した。主君を裏切って自分に味方をした家臣までも斬り捨てた。

武田が滅び、信長が本能寺で果てたこの年の秋、徳川家康は甲

武田勝頼　藤十郎

州に進駐、甲斐府中に仮本陣を置いた。信長と違って家康は、新天地での人材不足もあり、それまで敵だった多くの家臣を取り込みたいと考えていた。特に武術だけでなく、治水や鉱山開発などの民政に長けた人材を探していたのである。

とはいっても、この頃、家康は織田の配下。武田の遺臣を探して連れてこようとしても、信長の脅威があり、誰もが殺されると思うのか、ほとんど集まってこなかった。

腹心といえる**大久保忠隣**が家康に呼び出された。

「武田の遺臣はどのくらい集まっただろうか」

家康は答えがある程度予想できるのか、かなりイライラしながら尋ねた。

「総力を挙げて捜索しておりますが、まだ数名です」

「出頭してきた者たちはどう申しておる」

「みな、信長さまを恐れておりまするな。いきなり殺されるのではないかと疑心暗鬼になっております」

「とにかく手厚くもてなせ。そうして彼らや半蔵たちを使って、安心だと触れ回らせるのじゃ」

「それはいい考え、早速にも」

「ところで、家臣たちから何かいい話はないか」

家康としては、こちらが本当に聞きたい内容だった。

「民政を担当していた土屋藤十郎なる切れ者がいると、何人もが申しております」

「はて、聞いたことのない名じゃが、何者だ、そやつは」

「くわしいことはまだ分かりませぬ」

「まあよい、役に立つかもしれん。至急、探し出すのじゃ」

その後、半蔵の努力もあり、家康は信長とは違う、殺されたりはしない、武田の家臣でも力があれば重用する、そんな噂が広まっていった。

そしてついに、忠隣のもとに、例の藤十郎が見つかったとの朗報が届いた。すぐにも忠隣の邸宅で会う算段が取り付けられた。

忠隣の予想に反し、恐れおののいているかと思いきや、藤十郎は覚悟を決めたような清々しい表情をしていた。忠隣は俄然、この男に興味が湧いてきた。

「お館様がお主の評判を聞き、一度、連れてくるようにとおおせじゃ」

「今は甲斐の奥地で百姓の身。とても大殿様と会うほどの身分ではございませぬ。ご容赦を」

「何をぬかす。大殿が望まれておられるのだ。どうしてもだめというなら、取り押さえてでも連れてゆくが、それでもよいか」

「その儀はご勘弁を」

このまま拒否を続ければ武田の遺臣や家族にも類が及ぶと考えた藤十郎は、会って釈明した方が良いと判断した。

「それでは、一つ条件がございます」

「うむ、何なりと申してみよ」

「この身なりではとても大殿様の前には出られませぬ。相応しい装束をご用意願えませぬでしょうか」

忠隣は唸った。なかなかの男、下手に出つつこちらが断れぬ材料を持ち出すとは。なかなかの切れ者じゃわい。

「よし、早速、わしの紋付を着てもらおう」

こざっぱりとした藤十郎を見て、忠隣は、

「なかなか似合いではないか。それなら申し分ない」

「恐れ入ります」

「このまま、我が傘下に入らないか」

「とんでもない、恐れ多いことでございます」

「まあよい。今夜はゆっくり風呂にでも入って別室で休め。明日から忙しくなるぞ」

翌日、朝早く起きた藤十郎は、しばらくぶりに着た紋付袴で甲斐府中の仮本陣に忠隣と同行した。

奥の間で家康が待っていた。忠隣は驚いた。大概、客を待たせる大殿が待っているとは！　それだけ期待が高い証だろう。

「藤十郎か、待っておったぞ。

堅苦しい挨拶は抜きにして、まず茶をどうだ。駿河の茶だ」

「久しぶりに風味豊かなお茶をいただき、感激です」

「藤十郎とやら、お主の武田での活躍は、おおよそ忠隣から聞いておる」

「とんでもない、活躍などとは」

「謙遜するな。どうだ、お主の才能をわしのために役立ててくれないか」

「身に余るお言葉、恐悦至極に存じます。しかし、今は山の奥地で百姓です。武家に仕えるつもりはございませぬ」

「それは残念じゃの。何か望みがあれば、できるだけのことはするぞ。何か気にかかることがあるのではないか」

「……」

「徳川への協力を渋るのは、かくまっている信玄の孫に害が及ぶと心配してのことか」

「……」

「お主の居所はもちろん、わしが若君を探すことくらいは造作もないぞ」

藤十郎は声も出なかった。若君のことを知っているとは。

「藤十郎、返事は忠隣と相談してくれてよい。悪いようにはしない。

忠隣、あとは任せる。頼んだぞ。よい返事を待っている」

忠隣は家康を見送りながら、心底、感心していた。長安には若君の隠匿は交渉の切り札であったに違いない。百姓に固執しているように見せかけて、強く誘いを受けた段階で、取引材料として若君を出す算段だったのだろう。それがどうだ、大殿は長安の先を越してしまった。長安は応じざるを得ないだろう。結果は同じとはいえ、主導権は家康が握った。全くあっぱれな殿じゃわい。

邸宅に戻る道中、二人は一言も言葉を発しなかった。

藤十郎は考えた。若君を救うためにも、才能を期待してくれている家康の元で働くしかあるまい。

「今日はご苦労だった。気苦労をかけたな」

「久しぶりの羽織袴、それに大殿の前に出て疲れました」

「風呂に入れ。上がったら一献としよう」

風呂から出て座敷へ向かうと、忠隣がお膳を前に座って待っていた。

「まずは駆けつけ一杯といこう」

忠隣はもうだいぶ出来上がっているようである。

「江戸の酒は旨いと聞いておりましたが、これは辛口で結構な味ですな」

「ところで、長安よ、今日の話、どう思った」

「帰ってからいろいろ考えましたが、信長公とは違って、匿っていた若君を救ってくれるようで、ほっとしました」

「やはり、若君のことが心配だったのか。大殿の願いを受けるのじゃな」

「はい、喜んでお受けいたします。よろしくお願いします」

殿のたっての望みなので、忠隣はほっとした。これで武田の家臣も安心して出てきてくれるだろう。そういう腹もあった。

「そうかそうか、それはよかった。祝杯にもう一杯」

「この皿の上のものは煮貝ではないですか」

「左様。おぬしが奥地で生活していると聞き、甲斐の名物を用意させたのだ」

「甲斐の国には海がないので、魚貝類は生では食べられませぬ。こうして加工したものがほとんど。懐かしい味をありがとうございました」

生の魚は食べられなかったため、アワビを煮た煮貝は山梨の名物である。脱線するが、物流が発達した今、山梨県は寿司屋の数が日本で一番多いという。かつて食べられなかった反動だろうか。

さてそれから数日後、藤十郎の心が決まったので、忠隣は藤十郎を連れて甲斐府中の仮本陣に出向き、家康と再度接見した。

「長安、わしの願いを聞き入れてくれたそうじゃな。例を申すぞ。忠隣もご苦労であったな」

二人はただただひれ伏すのみであった。

「ところで、禄はどのくらいほしい」

「我が親子が生活できるだけいただければ結構でございます」

「なんと、欲のないことを、お主は」

家康は終始ご機嫌で、いよいよ本題に入った。

「徳川のために、お主に何ができるか聞いておきたい」

「その前に一つお願いが」

「ほう。なんだ、それは」

「甲斐の国は長い戦いで疲弊しており、田畑も荒れ、庶民も食べるものがなく困っております。武田の遺臣には民政に長けた人材が多くございます。彼らを登用し、甲斐の再開発を行っていただきたく存じます」

「それはわしも望むところだ。心得よう。誰をどのように登用すべきか、おぬしが差配せよ」

「ありがたきこと。加えて、徳川家の財政基盤を確固たるものにするべく、鉱山の再開発を試みてはいかがでしょうか」

家康は度重なる戦乱で懐事情が苦しかった。財政立て直しが急務だったため、身を乗り出して話し出した。

「そうか。これまでの徳川の領地には金山、銀山の類がなくての。何とかしたいと思っていたところだ。

ところで藤十郎、お主は**猿楽師**の子じゃと聞いておるが、どこで金や銀のことを学んだのじゃ」

「猿楽師は諸国を巡ることが多く、国中を渡り歩く**山師**と話す機会が多くございます。山師にはキリシタンもいて、渡来の技術にも詳しくなったというわけでございます」

「なるほど、いろいろ経験することはいいことじゃの」

「戦が重なり、山師が戦死したり、残った者たちもてんでんばらばらに散ってしまいました。ですが、山師は単独では生きていけませぬ。仲間意識が強いので、上手に声をかければ集めることができると思います」

なるほど、武田の強みはそこにあったのか。家康は、信玄の「人は城」の意味が分かったような気がした。

猿楽師（能楽師）　山師

「当面は黒川金山の再開発が適当かと存じます。**間部**の水漏れなどの対策をすれば、かなりの産出を期待できると思います」

「そうか、それは頼もしいの。しっかり頼むぞ」

「もう一つ、お願いがございます。産出した金銀で得た金を、軍費にでなく、甲斐以外の新鉱山の開発に使わせてほしいのです。大殿様はいずれ天下を治める方と見越してのお願いです」

「ふうむ、よく分かった、望み通りにしよう」

　傍で聞いていた忠隣は恐れ入った。ここまで上手に家康を抱き込み、己の望み、武田の望み、果ては徳川の望みまでをも果たそうとするとは。この男、只者ではないと、忠隣はゴクリと唾を飲み込んだ。

　長安は何ら意に介さず、続けていく。

「鉱山開発には二つほど条件があります」

「ほう、それはなんだ」

間部

「一つは、山師の仕事は、その名のごとく、当たり外れが多くあります。たとえ失敗しても、次の機会を与えてほしいのです」

「なるほど、よかろう。して、もう一つはなんだ」

「諸国を歩き回るので、自由に歩ける**鑑札**を与えてほしいということです」

「よし、分かった。お主の望み、すべて了解したぞ」

藤十郎の活動はあまり史実として残ってはいないが、ここ甲斐で実績を挙げたために、大久保忠隣から大久保長安という名を拝命、忠隣の下で活躍したとされている。甲斐での働きが、これ以後の八王子の町立てや石見銀山、佐渡金山などの開発といった活躍につながっていくのである。


【大久保忠隣】

家康の重臣で、後に藤十郎を部下にし、大久保長安と名乗らせ

鑑札

た。後に小田原領主となった。

【山師（やまし）】

諸国を渡り歩き、金、銀などのある山を掘りあて、掘削した職人たち。当たり外れが多いので、当たると大きいが、外れることも多いという、「山勘」という言葉の元にもなった。賭博性が多分にあるので、今は山師はあまりよい言葉ではない。金山衆ともいう。同じような言い方で、経済を担当する者たちを蔵前衆という。

【間部（まぶ）】

鉱山の鉱区をいう。狭義では坑道のことで、石見銀山には長安の名の付いた大久保間部もある。

【猿楽師】

猿楽は日本の伝統芸能の一つで、室町時代からある。能楽ともいわれている。猿楽を演ずる人を猿楽師という。

【鑑札】

官が発行する許可書。これを持っていると諸国を歩けるので、山師には便利である。

【家康との出会い】

数多くの小説で色々な出会いが書かれているが、ここでは忠隣が関わったことにした。成瀬正一配下の代官から国奉行になったのが出世の糸口だったとの話もある。長安署名の文書があるので、興味のある人は参考にしてください。


―

四、八王子の町作り計画

家康は八王子の高山城に赴いた際、八王子城を廃城とすることに決めたが、その後の町作りにはやや不安があった。甲斐で治水、検地、鉱山開発などで大きな実績を挙げていた長安が、どういう町作り計画を持ってくるか、楽しみにしていた。

高山城で陣鐘を見つけてから十日後、長安は江戸城に呼ばれた。江戸城の奥の間で静かに待っていると、家康が現れた。

「おお長安、ご苦労であった。今日を楽しみにしておったぞ」

「半蔵も連れてまいりました。八王子の治安状況、民衆が何を望んでいるかなど、徹底的に調べさせてあります」

「おお、そうか」

「まず、半蔵から現状を報告させます」

「丁度よかった。わしも八王子の実態について知りたいと思っていたところだ」

四 - 一　民衆の思いと治安に関する調査報告

半蔵の手下たちは、八王子で作った下原刀を帯刀することが多かったが、今回の調査では、民衆が何を思っているかを調べるために、大小を腰に差さずに歩くことにした。そのため、弱そうに見えたのか、言いがかりをつけられたりすることも度々だった。その度に腕をねじりあげて懲らしめた。

「八王子城が落城したばかりでもあり、城下は浪人、狼藉者がうろついていました。かっぱらい、強盗なども多発しております」

「そうか、そんなに荒れているのか」

「地侍たちは、いつぞやの信長公のように殺戮されるかもしれないとびくびくしております」

「やれやれ、武田のときと同じじゃな。農民はどうだ」

「戦いで田畑が荒れ放題で、収穫もほとんどありません」

「農民たちは何を望んでおろうか」

「治安の安定です。早く浪人たちがいなくなって、安心して農作業ができるようにしてほしいと申しております」

「とにかく、治安を良くすれば満足というわけか」

「お言葉ですが、大殿様、それだけではありません」

「なんだ、他にまだ何かあるのか」

「いろいろありますが、大きなことは二つです」

「ほほう」

「一つは、北条時代のように、民衆を大事にした税金が守られるかです。太閤殿下の検地のように、重税になるのではないかと心配しています」

秀吉は兵農分離を目的として農民に重税を課したことで有名で

ある。公と民の取り分が、北条は公四民六だったのに対して、秀吉は公二民一と重税だった。諸国の平均は公五民五であった。

「心得ておこう。して、もう一つは」

「自分たちが信仰してきた神仏を、信長公のように破壊されてしまうのではないかと心配しています。それに関係する獅子舞、神楽など、文化が壊されるのではないか、とも」

「なるほど、よく調べてくれたの。感謝じゃ。わしは北条が民を大事にしてきたいきさつをよく知っておる。それを壊すことはない。長安、お主も同じだな」

「御意に」

半蔵がはたと思い出したように付け加える。

「それから、町作り全体に関わる大きな不安があります」

家康はやや不安そうに半蔵を見つめて言った。

「それは何だ」

「浅川です。この川は暴れ川で、毎年洪水が発生し、周囲の田畑が水につかって、収穫が少なくなっております。これには民は皆、ほとほと困っています。ここをしっかり手当てしなければ、八王子の町作りは名ばかりか、と」

「川があったか……。お主はどう考える」

長安に向かって家康が話しかけた。

「武田にいたころ、甲斐の釜無川の治水対策を間近で経験しました。決して楽ではない難工事になるとは思いますが、そのときの工法を用いて、手を打ちたいと思います」

【下原刀（したはらとう）】

室町時代からの八王子の郷士の刀で、のちに北条氏照に仕えた刀鍛冶は浅川の砂鉄を使って作っていた。一時期、系譜は途絶えていたが、現在、復活し、高尾山薬王院に令和元年（二〇一九）

に、平成最後の刀として奉納された。

四-二　八王子町作り計画の報告

半蔵からの八王子現状報告に続き、今度は長安が八王子の町作り計画を披露する番になった。

「それでは続いて私の方から、計画の内容を、用意した書面を元にご説明申し上げます」

「おお、それは楽しみだ」

其の一　基本的考え方

秀吉が天下統一を成し遂げて、戦国時代が終ろうとしていることの時期に、今更山城でもない。戦いの時にしか使わない山城に多くの資金と労力を投入することは避けたい。今後の発展には、多くの街道が行き来し、森林資源などが近くにある八王子の利点を活かしたい。江戸の再開発を支援するためにも、人と物が流動的に行き来する町にした方が得策である。関東諸国を統括する代官所をここ八王子に置くことも重要。しかし、万が一戦いがあった場合は、城はなくとも対応できる町作りが大事になってくる。

家康は淀みなく説明する長安を遮った。

「長安、戦いがあった場合には具体的にどうするのか」

「具体的な内容は後でご説明申し上げますが、武田にあった「九筋衆」と似た、千名よりなる武士集団を作り、「**千人同心**」と名付けたいと思います」

其の二　治安維持と千人同心

落城後の城下は浪人、狼藉者が多く、治安を安定させることが第一。狼藉を働いた者を入れる牢屋を、まず作る必要がある。牢屋に入れられるとなれば、悪行をなす者も少なるだろう。取り締まるために一組百名、これを十組の合計千人で構成する「千人同心」を作り、治安を確保する。初めは五百名で始めたい。組頭は街のなかに住居を構え、平同心は四里四方で、平常時は農業をしながら、いざ戦いの時には狼煙、鐘、太鼓などで召集するように訓練する。普段は年貢催促、情報収集、農業指導などを行う屯田兵とする。本格的戦いになれば、平同心を含めて約千名の大軍団として活動できるよう、日頃の鍛練を怠らない。城は作らないので、八王子城下の寺、神社を新しい町に移し、広い境内に兵を集合できるようにする。同心は武田の遺臣を中心に、北条の落武者、浪人などからも広く人材を求め、構成する。他国からの狼藉者の侵入を防ぐため、関所にも常駐させる。特に、甲斐の国からの秀吉軍の侵攻が心配なので、江戸を守るためには駒木野関所と小仏峠が重要である。

家康は感心しながら頷いた。

「この方法だと、戦いがない時に兵を抱える必要がなくなるな。金もかからず、いい方法かもしれぬ」

【千人同心】

現代の警察と役所の組織を併せもったような組織。蝦夷地開拓、日光の防災にも参加。江戸の幕末まで続いた。

其の三　洪水対策

八王子城の城下、すなわち政治の中心を平地に移すに当たり、懸案が浅川の存在である。これまでは洪水になっても、農地が破壊されて収穫が減るだけで済んだ。しかし、城下を移すとなれば、洪水対策を施して、街が破壊されないような治水対策が求められる。これは治安対策と並んで重要な課題だ。武田が暴れ川の釜無川と新川で実施した技術を活用して、治水工事を実施する。二つの川の流れをぶっつけて流れを弱めたり、土手、**遊水地**を各所に設けるなどの対策を徹底しておこなう。

「ふうむ、武田の経験をここに活かせば簡単にできるものなのか」

「いえいえ、経験は役立つとは思いますが、条件が違うのでそう楽ではありません」

八王子の浅川は、現代でも溢れ返りそうな時があるが、大きな決壊は発生していない。何百年も前の治水対策が役立っているためである。南浅川が北浅川に直角にぶつかるところに、現在、鶴巻橋が架かっている。**鶴巻**は弦巻とも呼ばれ、水流が渦を巻くような場所だったからこう呼ばれたとする説もある。

其の四　検地と税

八王子城城主の北条氏照は民衆のことを考え、税金をほどほどに設定して民の信頼を得ていた。これをそのまま続けていくべきである。とはいえ、正当な税かどうかを確認すべく、北条の**検地**を参考にしながら徹底した再検地を行い、開墾したばかりの田畑、収穫の悪い田畑には免税、減税などの対応をする。土地の改良、農産物の育成も促進する。検地結果をみて、必要に応じて、水害対策だけでなく。道路、橋などの整備も充実させたい。

其の五　神社、寺の保護

民衆は神社、寺を生活の拠り所にしている。信長のように破壊するのではないかと心配している向きが多い。北条のいいところはそのまま守るようにしたい。神社、寺を保護することは、勿論、それらに関係する文化の保護にもつながる。信仰の対象である**高尾山の自然**も保護し、動植物の殺生を禁断とする。

検地

【高尾山の自然】

高尾山や薬王院は戦国時代から保護され、今では約千六百種の植物、約五千種の昆虫が生息することで有名である。高尾山で初めて発見された植物も多く、代表格のタカオスミレは人気である。年間三百万人以上が登山と自然を楽しんでいる。ちなみに、八王子城は戦いの時に見通しをよくするために木を伐採した。よって高尾山のように古い木はほとんどなく、動植物も少なくて高尾山と対照的である。

其の六　八王子の町の配置

治安、水害などの基本的対策をしたうえで八王子城を廃城にし、城下町を八王子城の南の平地に移す。町の中央に代官所を置き、関東十八の諸国の代官を主要道路の左右に住まわせる。主要道路には諸国との行き来の宿場として、横山、八幡を、近郊の農産物などの市場として八日市を配置する。

追分からの街道沿いには、千人同心の組頭の邸を置く。追分からの道は富士山に向けた直線道路とする。

八王子の町に入る大和田側と追分側は**鉤型**（かぎがた）の道にし、敵が攻めて来た場合に備える。**大善寺**、**極楽寺**など、境内の広い寺を随所に配置し、千人同心がすぐに集合できるよう、万が一の戦いに備える。食料の備蓄も怠らない。関東一円から武将を集める場合は、廃城となっている滝山城も使えるように備えることとする。

今回は城はないが、長く使える町作りと**町の配置**としたい。

「これで説明を終わります」

家康は深く頷いた。

「よし分かった。なかなかの案だ。実施あるのみだ」

「恐れ入ります」

大善寺　極楽寺　鉤型（かぎがた）　町の配置

「代官頭となって、代官たちと連携を取りながら進めてくれ。頼んだぞ」

「はい、分かりました。全力を尽くして頑張ります」

「ところで、具体的な作業は誰がやるのだ」

「千人同心の中から責任者を選び、同心と民衆の普請でおこないます」

「民衆の負担が多くならないようにくれぐれも気をつけてくれ」

「できるだけ多くの民衆に参画してもらい、負担を少なくします」

「あとは頼んだぞ。定期的に報告してくれ。近いうちに重臣たちに説明する場をもちたいのでな」

家康は一呼吸置くと、思い出したように言った。

「金銀の鉱山開発じゃがな、すぐにでも取りかかりたいのはやまやまなのじゃが、今は関東支配に注力したいのでな、しばらく時を待て」
長安は深く頭を下げた。

【町の配置】

大久保長安が作った町の配置は、ほぼ現在にまで残されている。町名も当時のままのものが多い。代官所のあった町名は、御門があったためか**小門町**になっている。小門は当て字で、元々は御門だったという説がある。

五、八王子の町作りを具体化

寺に仮の代官所が置かれ、早速、長安と傘下の武田、北条の遺臣と半蔵で構成された、「八王子町作り検討委員会」とでも呼ぶべき寄り合いが催された。地図を前に審議が始まる。

まず、長安から趣旨の説明がされた。

「大殿様から、八王子城を廃城にし、平地に街をつくり、政治を行う方針が出された。武田の**九筋衆**に似た武士集団、千人同心を作り、実際の作業はこれに当たらせることになった。企画を元に具体的な実施方法を、この陣容で決めたいのでよろしくお頼み申す」

そして家臣の一人に向かって、

「ここの陣屋は仮なので、街の中央部に代官所を開きたい。考え

九筋衆

てくれないか。民衆から慕われるように、守りはさほどしっかりしていなくともよい」

次に北条の家臣だった者たちに向かって、

「半蔵の調査から、今度、町を作る予定の土地は水害が多いと聞いている。どの程度か説明してもらえないか」

「それなら、地元の事情に詳しい**手代**を連れてきましょう」

「そうしてくれ」

まもなく手代が来て説明を始めた。

「浅川と、高尾山の方から流れてくる南側の川との合流地点で度々川が決壊します。このまま町を作れば、宿場、街が洪水で破壊されてしまいます。十分な対策が必要です」

それに追加して、

「合流地点で決壊する前に、上流で溢れる場合もあり、こちらでは堤防などの対策が必要と思います」

手代

武田の遺臣たちに向かって、長安は、

「暴れ川の釜無川、新川での水害対策の経験がある者もおるであろう。何とかなりそうか」

「いえいえ、そんなに簡単ではないかと思います。現地をしっかりと検分してみないと何とも言えません。対策は可能とは思いますが……」

「それはそうだな。一度皆で見に行くことにするか」

「それが一番かと」

次に、長安は手代に向かって話しかける。

「別途計画するので、その時にはお主が案内してくれないか」

「分かりました。ご案内させていただきます」

一番の問題の水害対策現地調査の日程が決まり、いよいよ町の全体構想作りにかかることになった。

「それでは町の全体配置を決めたいが、主要の道をどこに作るべきだろうか」

「東西に長い町なので、それに沿って広い道を作りましょう。八王子城下の横山、八幡の宿場を街道沿いに配置し、間に八日市を入れて、毎月八の付く日に農産物を交換する市場を開くようにしてはどうでしょうか」

「それは賛成じゃ。

先ほど検討を頼んだ代官所は街の中央あたりに置いてほしい。関東一円の十八の諸国代官が駐在することになるので、代官の宿舎も道の左右に置いてくれ。

また、寺社を宿場入り口の周辺に、万が一、戦になった時のために配置したい。千人同心が集まれるように広い場所が必要なのじゃ。浅川に架かる橋のそばには、大きな寺を配置したい」

「八王子城の戦いで荒れてしまった極楽寺、大善寺があります」

「極楽寺とは珍しい名だな。死んだ時に極楽へ行けるようにとの願いからだろうか」

「かつての滝山城主、大石定重が創建した寺です」

「そうか、大石となあ。由緒ある寺のようじゃな。至急、浅川の近くに移して再建してくれ。資金はわしの方でなんとかする」

余談だが、極楽寺には、長安、氏照の位牌が保管されていたものの、八王子空襲で焼失した。

「大善寺も至急移築して再建し、こちらでは、氏照と先の戦いの犠牲者の十日間法要を開こう。関東一円の民衆を呼んで、祭りとして計画するように」

「御意に」

家康にしろ、長安にしろ、先の戦で亡くなった者たちの霊を弔うことが大事だと考えていた。八王子の民衆は、秀吉勢の前田、上杉などに殺害された数千人の霊が、いまも八王子城周辺をさまよっていると思っていた。現在でも、忌城として近づかない人もいるほどである。

長安は地図を指し示しながら論を進めていく。

「大善寺は極楽寺と斜交いの場所、この辺りに再建させたい」

「戦いの時に同心が集まりやすいように、少し離すようにしましょう」

「浅川側の二つの寺の配置は、これで決まった。あとは宿場の出入り口じゃが、どうしたものよの」

「まず東側、日野方面から来た場合は、大和田から浅川を渡り、**子安明神**あたりまで来たところで番所を作りましょう。さらに道を鉤の手に曲げ、城の虎口のようにします。追分あたりの西の入り口にも同様にこれを配置します」

「うむ。併せて、**駒木野関所**と小仏峠の守りも仕置きしてくれ。

最後に、新しい八王子の町は、これまでの城とは性格が異なる。城を中心にした考え方は捨てて欲しい。大掛かりな戦の構えは必

駒木野関所　子安明神（子安神社）

要ない。ただし、いざという時は滝山城を使うことも考えておくように」

【駒木野関所】

小仏峠に関所があったが、駒木野に移されている。関所の役割は人の出入りのチェックであり、特に大名の出女と入り鉄砲の確認が江戸時代には重要だった。

水害現地調査

町作りの実施検討要員が、水害の現地を実際に歩いて調査することになり、地元に詳しい手代が案内することになった。そして、みな、子安明神に集まった。

「ここが鉤型の入り口を置く予定の、子安明神です」

「ここが有名な安産祈願の子安明神か」

「向こうに見えるのが浅川で、対岸の**大和田**から飛び石を伝って歩きで川を渡ります。橋がないので、大水が出ると渡れません」

「あまり水がないが、これで水害があるのか」

「嵐になれば、水が溢れそうになります」

現代でも、川が曲がったあたりで堤防が崩壊しそうになることが時々ある。

南浅川と**北浅川**が合流する地点に着いた。

「ここが度々、土手が崩壊する二つの川の合流地点です」

「たしかに、二つの川が合流した後の川幅が狭いな」

「そうなんです」

「川の流れを変え、釜無川と新川のように川を直角にぶつけた方がいいだろう。しかし、甲斐のように岩壁がない」

「ここからさらに上流へ行きますと、嵐の度に水が溢れるところがあります」

一行はその現場へと移動した。

「今はほとんど水が枯れておるな。ここで水が溢れるとは想像できないが、どうあれ合流する辺りまで土手を作った方がよさそうじゃの」

長安は、今日は水が少ないので、嵐（現代の台風）のあとにもう一度上流から歩いてみようと提案した。

「それがよさそうですね」

秋の嵐の後に、今度は上流から歩くこととした。

嵐の翌日、**廿（とどり）**の近くから南浅川を下流に向けて歩いていく一行。

今回は嵐の後なので水が多く、いまにも岸を崩しそうな勢いで流れている。

「川の東側の土手を高くしないと、せっかくの作った町も水浸しになるな」

廿（とどり）

南浅川と北浅川の合流地点に着いた。豊富な水量を保ったまま、二つの川が合流して水が両岸にあふれている。

武田の遺臣に長安が、

「武田の技でなんとかならないか」

と水を向ける。

「釜無川のときは、対岸に大きな岩があり、そこへ水の流れをぶつけて、勢いをそぐ作戦を立てられました。でも、ここにはそれがありません」

「何かほかにいい案はないのか」

「直角にぶっつけた後に、遊水池に水を流す方法があります」

「なるほど」

「念のため、川の向こう岸だけでなく、手前にも遊水池を作り、さらに下流にも同様の区域を作った方が安全かと」

「どうあれ、川の流れを直角にする大工事は必要そうじゃの」

「それに加え、合流地点からの下流の川幅も広くした方が良さそうです」
「ほかに気付いたことはないか」
「浅川沿いに移設予定の寺が水害に遭うと大変なので、土手で補強した方がいいかと存じます。極楽寺、大善寺は川に近いので、特に」

南浅川沿い東側に位置する宗格院には、今でも**石見土手**、**石見堤**と呼ばれる土手が残っている。

【遊水池】

川の水が多い時に流し入れ、嵐が治まったら川へと水を戻す、一時的な水の保管場所。下流では、今の**田町**が遊水池として使われた。今でも、**水無瀬橋**少し前までは土手があるが、そこから合流地点までは土手がないのは、その一帯を遊水池として使っていたためである。

松姫との出会い

武田の血筋を引く信松尼という尼が、八王子にひっそりと住んでいるという話が手代からもたらされた。長安はもしやと思い、八王子のはずれの里を訪れた。思った通り松姫さまだった。

武田が織田に攻め立てられ、信州の高遠城に身を寄せていたが、勝頼の夫人から、ここも戦場になるので、三人の姫を連れ、夫人の兄である北条氏照を頼って逃げのびてほしいと頼まれた。武田と北条は敵同士だが、兄氏照は心の優しい人なので、女の落人を断ることはないとも言われた。流れ流れて、長安が聞き知った時点では、氏照ゆかりの心源院の**卜山和尚**にお世話になっていた。

「甲斐では遠くからお見受けしましたが、久しぶりに姫のお元気な姿を拝見してほっといたしました。どうなされたかと、心配し

卜山和尚(随翁瞬悦)

ておりました」

「いまはここで、養蚕、染め物、織物、また、子どもたちに読み書きなどを教えています」

「それを聞いて安心いたしました」

「今でも甲斐の人が時々おとずれてくださいます」

「ほう、どういった方たちですかな」

「武田の遺臣が私を頼って、何か仕事はないかと相談してくるのですよ。でも、私にはそんな力はなくて……」

「おおそれはいい話を聞きました。実はこれから、八王子の再開発で養蚕、織物、染め物などの技術、技能の経験のある人を探しておったのです」

「それならば、私のところへやってくる方たちをぜひ登用してください」

「喜んで、そうさせていただきます」

これをきっかけにして、八王子の養蚕、織物、染め物が発展したとも言われている。特に養蚕は、明治時代には**絹の道**を通って横浜まで運ばれ、海外に輸出するまで発展した。

現在では、養蚕農家は数軒しか残っていないが、織物、染め物は今でも産業として辛うじて残っており、中でも八王子のネクタイは有名である。

【卜山和尚（ぼくざんおしょう）】

心源院の高僧で、正式の名前は随翁瞬悦という。氏照の禅の師匠でもある。松姫を支援した。

千人同心の集合訓練

長安が数名の家臣を前に、千人同心の集合訓練について説明した。予告なしで行いたいので、そのつもりで日常の連絡、訓練を徹底しておいてほしい。滝山城から陣鐘を鳴らし、狼煙をあげて、訓練開始を伝える。次々と決められた方法で連絡を取り合い、四里四方の**平同心に**まで伝える。一時（いっとき）以内に決められた各寺に集合し、全体が集まったら、全同心が滝山城に移動、鉄砲隊の実技を行う。

滝山城に桔梗が咲く時分、ある日の朝早く、家康が高山城で手に入れた陣鐘の特徴のある音が八王子中に鳴り響いた。同時に狼煙も高くあがる。次々に太鼓や鐘があちこちで鳴り、狼煙も次々にあがった。四里四方から、同心が各寺に集結を始めた。

長安が家臣に、

「そろそろ一時（いっとき）だが、集まり具合はどうだろう」

「各寺から、集結完了の狼煙があがっているので、そろそろ完了かと」

「目標の一時（いっとき）を達成できそうじゃの。

平同心（平の同心）

よし、諸国の代官に半時以内に滝山城に馬で駆けつけろと指令を出せ」

「分かり申した」

別の配下の者が飛びこんできて、

「長安殿、各寺から集結完了の狼煙があがりました」

と告げた。

「それはご苦労。では、滝山城に全同心集合の指令を出せ」

「分かりました。陣鐘と狼煙で指令を出します」

一時（いっとき）後に全同心が集結した。

滝山城では、忠隣が待っていた。忠隣の前で、千人同心と諸国の代官が参加して、鉄砲隊の実技が行われた。

忠隣は統制の取れた同心たちの姿に関心しつつも、長安に、

「千人同心と聞いているが、人数が少ないのでは」

「今は五百名ですが、将来は全同心で約千名にするつもりです」

「これだけいれば、戦でもなんとかなりそうじゃの」
「万が一の時は、諸国の代官にお願いし、もっと集められる算段を整えてあります」

六、石見銀山再開発

慶長五年（一六〇〇）、関ヶ原の戦いが終わってすぐ、石見銀山周辺に、管理は毛利から徳川に代わるという**禁制**が出された。

暫くして、長安は家康に呼ばれた。

「前々からお主が言っているように、国を治めるには金銀が必要だ」

「左様でございます。一体、何をすればよろしいでしょうか」

「すぐに石見銀山に行くように」

「はっ、明日にでもすぐ出発いたします」

石見銀山を抑えるには、甲斐で実績のある長安こそ適任だと家康は判断した。

長安は、石見銀山に近い**温泉津**（ゆのつ）の港に突然、現れた。

禁制　温泉津

どうやって、戦後の毛利軍の混乱を潜り抜けて辿り着いたかは、歴史資料もなく、定かでない。長安は暫く温泉津の温泉につかって旅の疲れを癒しながら、石見銀山の現状を調べることにした。

石見銀山を管理している目付が、長安が温泉津に滞在していることを知って、おそるおそる訪ねて来た。おどおどしているところをみると、何やら不正がありそうな気配である。

「石見銀山を管理している目付とな。今日は何用だ」

「この先どうなるか、何とすればいいのか、お聞きしたいと思い、参上つかまつりました」

「わしは大殿様にすぐ行って見てこいといわれただけじゃ。殿は今まで通り、山の管理はお主たちにお願いすると仰せだぞ」

「それをお聞きして安堵しました」

「世が毛利から徳川に代わろうが、地のものが山を支えることに変わりはない。徳川が銀をすぐ奪うことはないのでご安心召されたい」

かなりの不正がありそうだが、長安は現状のまま役割を引き継ぎ、銀の取れ高の半分は地元に還元することを管理の基本にした。円満な引き継ぎが今は第一と長安は考えたのだった。民が不安に思っているときに、強引な改革をすることはしまい。しつこいようだが、地の物は地に、である。

その後、毛利の代官と長安との間で、毛利から徳川への引き継ぎがすんなりと行われた。

銀山視察

長安は前に会った**目付**を呼んで、銀山を案内してくれと頼んだ。目付の案内で温泉津から石見銀山に向かう途中、怪しげな生暖かい風が吹いたと思ったら、突然三人の曲者に襲われた。付き従っていた半蔵の配下の者たちが、守るようにして長安を囲む。

目付

「何者だ。その方、長安殿と知っての襲撃か」

「もちろん、そのつもりだ」

二人はあっという間に斬り捨てられた。もう一人は生きたまま捕らえた。

「お主、どこから来た」

「……」

無言のまま、スキをついて毒を飲み、絶えた。

「この連中は何者だ」

「言葉、立ち振る舞いから、関東の者ではないかと」

「なに、関東だと」

「風を使って話す、**葉擦れの術**を使っていました。北条の忍者集団、風魔ではないかと思います。心あたりはありませぬか」

「いや。わしのことを良く思わぬ一味がいるのだな。それにしても、ここまで追ってくるとは大したものだ。皆に動揺が走ると困る。この一件は他言無用で頼む」

「心得ました」

石見銀山に到着後、早速、間部に入ってみた。

「甲斐の間部より入り口が広く、入りやすいのう」

「鉱山に入ったことがおありなのですね」

「うむ。どうも使っていない坑道が多いな」

「最初は地面に近いところから採鉱されておりましたが、だんだん深く掘ることになりました。ただ、そうすると水が出て、廃坑になっているものが多くあるのです」

「なるほど。それで放置されているのだな」

「左様でございます。水を抜くより新しい坑道を掘った方が手っ取り早いので、自然とそうなります」

「新しい鉱脈はすぐに見つかるのか」

「かつては掘ればいくらでも出てきましたが、最近では新しい鉱脈がなかなか見つからず、じり貧になっております」

「それにしても、さっきからひどい臭いがするぞ」

「尿の臭いです。どうしても近くでしてしまいますので」

長安は石見銀山の管理を、当面の儲けにつながらないことを承知で、**請負制**から徳川直轄の**直山制**に変えることとした。道具類の無料支給、水抜き費用を役所で負担したのである。水抜きをして間部を生き返らせた場合は、工事をした者にも利益を配分するように手配した。じり貧だった銀の生産は少しずつ上がっていき、新しい間部への投資も可能になった。

糞尿の片づけは軽作業なので、女性にも手伝ってもらうようにした。儲けにはつながらないが、作業場の衛生環境の向上は作業員の意識に影響し、長安の信用も上がっていった。

請負制　直山制

安原伝兵衛伝説

あるとき、半蔵の手紙をもった、安来の安原伝兵衛という山師が長安を訪ねてきた。その封を破ると、手紙は白紙。長安が水に濡らすと文字が現れた。

「お主がいいことを話してくれると、ここに出ておるぞ」

「実は山の鉱脈を探していると、観音菩薩様に見える鉤（かぎ）を見つけました」

「ふむ。それで」

「暫くしたある日、夢の中に観音菩薩様が現れて、山のある場所を見ろとのお告げがありました。そこに銀鉱がある、と」

「ほほう、夢とな」

「舟から山を見ると、山の上が明るく輝いていました。そこに行くと、銀の粒が見つかりました」

要は、鉱脈を見つけたので、長安に鉱山開発の資金を援助してほしいとの願いだった。

「なかなか面白いではないか。資金を出すことにしよう」

これをきっかけに新しい鉱脈が次々と見つかり、石見銀山の大発展につながったという。安原伝兵衛伝説と呼ばれている。

最盛期には、石見銀山が世界の三分の一の銀を産出し、ポルトガルなどが中国で手に入れた絹を日本で銀と交換、帰りに香料を手に入れて自国へ持ち帰るなどして、銀が国際通貨の役割を果たしていたという。


【禁制】

権力者が禁止事項、掟などを公示した文書。ここでは銀山の管理が毛利から徳川に移ったことを知らしめている。

【目付】

代官の下で労務管理を任されている実務者。

七、佐渡金山再開発

関ヶ原の戦いが家康の勝利で終わり、佐渡金山は徳川の天領になった。近江の商人、**田中清六**が佐渡の代官となった。掘削当初は金が地面に露出しているところもあるほどで、産出量は好調だったが、次第に鉱脈は枯渇し、坑道の水没や酸欠による事故も相次ぎ、行き詰まってしまう。さらに重税を課したので、山師、人足などに不満がたまり、動乱が起きそうな気配さえあった。

慶長八年（一六〇三）、家康は長安を佐渡奉行に任命。佐渡の再建を命じた。

早速、甲斐や石見から山師が招かれ、手を入れることになった。長安も彼らとともに現地を視察する。

「皆の衆、このたびは遠路ご苦労だった。すでに聞き及んでおろうが、佐渡の再建のため皆の協力をお願いしたいのじゃ」

一行は頷いた。

「これから目付に案内してもらうが、道中、気がついたことはなんなりと申せ。遠慮は無用じゃ」

「旧式の**縦坑**が多いですな。**横抗**の方がよく採れるのでは」

同行した目付が答える。

「初期には地面から露出した金が多かったのです。そのため縦抗が多くなっております」

「水の溜まった坑も多いのう」

「水が出てしまい、掘るのを止めたものばかりです」

「新しい鉱脈はすぐ見つかるか」

「いえいえ、そんなに簡単には……」

「水抜きはしないのか」

「水抜きをしても、すぐまた水が出てしまい、どうにもなりませ

縦坑　横坑

ぬ」

目付は矢継ぎ早の質問に汗をかきながら答えていた。見かねた長安は、目付をねぎらいながら言った。

「お主たちの苦労は分かった。横抗を掘れば、水抜きだけでなく、新しい鉱脈が見つかる可能性もあるだろう」

「なるほど」

「ところで、製錬は**水銀流し法**であるか」

「いいえ」

「なに、水銀流し法ではないのか」

「話に聞いたことはありますが、技術を知る者がおりません」

「ううむ、一度、検討した方がよさそうじゃのう」

その後、長安は山師たちの意見を聞きながら、佐渡金山を、石見と同じように請負制から代官の直山制に変更する。さらに、役所で費用を持って徹底的に水抜き工事をし、それに必要な道具、

水銀流し法(アマルガム法)

材料も役所で手配することにした。水抜き工事に携わった者にも成果を配分し、働く者の環境を整えた。

縦抗の水抜きこそ、佐渡金山の再開発に必要不可欠と考えた。半分以上の間部が水に溢れているので、崖から横抗を掘り、排水坑道にして水を外に流した。手で桶にすくい入れて運ぶのではなく、一気に排水可能となる。横抗を掘っているうちに新しい鉱脈が見つかることもたびたびあり。一挙両得である。こうして、ほとんどの坑が復活した。また、最盛期には水銀流し法が採用され、金銀の産出量が爆発的に増えたといわれている。

山師たちの努力で佐渡の金の産出量が増え、徳川の財政基盤強化の一端を担うことができた。長安は二回しか佐渡に行っていなかったというが、山師たちの持つ甲斐、石見の技術と、それを的確に指示した長安の凄腕で復活したといえよう。

【佐渡金山の発見】

佐渡の金鉱山の歴史は古く、平安時代の『今昔物語』にも載っているほど。越後の商人が夜に船から山を見たら光るものが見えたので、山に行ってみたら金の鉱脈があったとか、市場で売っている韮（にら）に金がまとわり付いていたのが砂金発見のきっかけだったとか、色々な伝説がある。

【水銀流し法（アマルガム法）】

金や銀を含む岩石に水銀を合金し、水銀のみを蒸発させて金、銀を採取する製錬法。

【灰吹法】

金、銀の鉱石を鉛と一緒に溶かし、灰の上に垂らすと鉛が灰に溶け、金銀だけが残るという製錬法。水銀流し法に比べ、やや手間が多い。

八、岡本大八事件

慶長十三年（一六〇八）、肥前有馬の大名**有馬晴信**のご朱印船が、家康の命令で**伽羅香木**（きゃらこうぼく）を買い付けてマカオに寄港した。その際、酒場で喧嘩が起こり、ポルトガル船員に襲撃されて多くの怪我人と死者が出た。多くの貨物が没収され、買い付けた家康の伽羅香木も奪われてしまった。

晴信の報告を聞いた家康は激怒。

「ポルトガル船が長崎に入港したら、すぐ報復せよ」

長崎奉行にこう強く指示を出した。

晴信は、東アジア諸国、マカオ、香港、ルソン島などとの交易用に、ご朱印発行を取り仕切っていた。

家康の側近、**本多正純**は、襲撃を見届けるように配下の**与力**岡

有馬晴信（肥前大名）　伽羅香木

本大八を長崎に派遣した。

　ポルトガル船が入港したので、早速、長崎奉行の命令で攻撃が開始された。船からの大砲、鉄砲での応戦に苦戦したが、火を放って沈没させた。これを大八が正純に報告したところ大喜びし、正純は殿も大満足だったと大八に伝えた。大八は気持ちが大きくなったのだろう。晴信の以前の領地、肥前の三郡の返還を知っていた大八は、返還の斡旋を正純から殿にお願いできると晴信に対して賄賂を要求、多額の金を手にした。それに加えて「ポルトガル船を沈没させた功績により肥前三郡を晴信に与える」という偽造したご朱印状の控えを見せ、多額の金を騙しとった。

　信じ切っていた晴信だが、いくら待っても三郡返還の沙汰がない。晴信は正純と会うことにした。

「正純様の恩賞の義はどうなりましたでしょうか」

「はて、何のことじゃ」

本多正純　与力（下級武士）

「ポルトガル船を沈没させた論功行賞で肥前三郡をお返しいただけるという……」

「何だ、それは初耳だな」

「えっ、大八からお聞きではありませぬか」

「それはおかしいな。仔細を大八から聞き、後日、返事をするように致す」

晴信が席を立った後、直ちに大八が呼ばれた。

「大八、わしが三郡返還を殿にお願いする代金として多額の金を晴信から騙し取ったのは事実か」

「いえ、そんなことは絶対にありません」

大八は激しい口調で返事をした。とんでもな濡れ衣だとでも言わんばかりの口調である。しかしその態度が、かえって真実を物語っていると、正信は直感した。

いつの時代も、家臣の罪は上に立つ者の責任と考えている正純は、翌日、殿に会うこととした。

「大殿様、人払いをお願いしたうえで、ご相談が……」

「ふむ、よかろう、何用だ」

殿に大八の悪行を説明する。

「ことの次第は分かった。長安に詳しく調査してもらおう」

正純が側近とはいえ、本多一族から調査すべき人材を選ぶわけにもいかず、何かと反発しあう政敵とは分かっているものの、家康は長安を指名することにした。

大久保長安の屋敷で吟味が始まった。上段の間に長安が、下段の間に晴信と大八が、脇には立ち合い人が並んだ。

長安は最初に、

「これから晴信と大八の吟味を始める」

「最初に晴信に聞く。その方、大八に賄賂を渡して、肥後三郡の返還を依頼したことに間違いないな」

「その通りです」

次に大八に向かって、

「大八も相違ないな」

「事実無根です。私は金を受け取ってもいませんし、返還の話もしていません」

晴信はぎょっとしたような顔をする。長安が尋ねる。

「大八はこのように申しておる」

晴信は毅然とした態度で応じる。

「私はキリシタンですので、嘘は申しませぬ」

長安は大八に再度尋ねる。

「晴信は、嘘は言わぬと申しておるぞ」

大八は色をなして憤慨した。

「私こそ嘘は申しません。晴信殿には、長崎奉行を暗殺する計画があることも知っています」

「なに、晴信、相違ないか」

「その通りでございます」

「ううむ」

一瞬の静寂。それを破ったのは晴信だった。

「私はキリシタンです。そのことに誇りを持っています。嘘は決してつきません。しかし、残念ながら、キリシタンでも嘘をつく人間がここにいます」

「なに」

「岡本パウロ大八という嘘つきです」

立会人の間でどよめきが起こる。

「大八、お主はキリシタンだったのか」

保身と信仰心の間で揺れる大八は、ついにすべてを白状した。

大八、晴信の罪は白日の下にさらされた。大八は火あぶりの刑、晴信は甲斐に流され、その後、切腹した。大八は正純の与力だったが、正純はおとがめなしになった。

長崎奉行の暗殺計画が何のためだったかは解明されず、闇に消えた。おそらく奉行、晴信、オランダの間での利権や、密貿易がからんでいたのかもしれない。

この事件の長安の本多一族への対応が、長安死去後の断罪に関係するのではないかという説がある。

家康は、貿易で儲けるためキリシタンを保護していたが、徳川の中枢にまで入り込んでいることに驚いた。貿易も大事だが、幕府に尽くすのではなく、デウスに生命を捧げる考え方に対してそろそろ手を打つ必要があると思った。キリシタンの教えを広めて日本人の心をローマ法皇に捧げ、民と国土を我が物にしようというポルトガルの野望が透けて見えた。この事件をきっかけにして、家康は**キリシタンの禁止**へと流れていく。

九、家康の心がわり

長安が駿河の自邸で中風に倒れた。家康自ら調合した薬が送られ、名医の誉れ高い侍医も派遣された。歌舞伎のお国太夫も駆けつけ、場違いとも思われる舞を舞った。長男の藤十郎が、お国にお見舞いをお願いしていたのである。舞を見て喜んだ長安は、富士山を見たいと藤十郎に言った。

「富士山はいつみても綺麗だな。もう一度、甲斐からも仰ぎ見てみたいものだ」

「元気になって、必ずや甲斐へ行きましょう」

「八王子宿の追分から道が曲がり、**富士山**に向けてまっすぐになっているのを知っているか」

「初めて聞きました。甲斐に行った折に寄りましょう」

「甲斐と八王子で富士山を見るのが楽しみだ」

しかし富士見の旅は実現しなかった。この言葉を最期に、長安は息を引きとった。慶長十八年（一六一三）四月二十五日、波乱に満ちた六十九年の生涯に幕を閉じた。

三歳も若い長安の死に触れ、家康はいよいよ徳川幕府の基盤を強くする必要性を考えた。岡本大八事件を政策変更の好機と捉えていた。そして、キリシタン弾圧を決断する。大八は助かりたい一心で、隠れキリシタンの名前を全て白状した。結果、徳川の中枢にまで入り込んでいることが分かった。大奥にまで入り込んでいたのには、さしもの家康もさすがに驚いた。南蛮との貿易も大事だが、徳川の中枢にまで入り込んでいるキリシタンどもに征服されてはなるまい。既存の寺、神社は共存できるが、徳川よりゼウスに命を捧げる者とは共存できないと判断したのだった。

大坂の秀吉軍には**キリシタン大名**が多く、弾圧すれば西軍の戦力が弱まり、弾圧を機に、寺や神社を取り込めると考えた。

それに、大久保長安が死んだいま、長安一族の権力があまりにも大きくなり過ぎていた。石高にして百二十万石、金山、銀山のほとんどを支配下にしている。代官が世襲になったら徳川家が危ない。民衆に慕われている点も懸念材料だ。官はほどほどに嫌われるくらいが丁度よい。民衆は甘やかすと図に乗る。

家康は長安の死亡から数日後、葬儀を中止した。その後、長安には金銀隠蔽、幕府転覆の陰謀などの嫌疑がかけられた。八王子、駿河、江戸、石見、佐渡など、全ての屋敷が徹底的に捜査された。発見された金銀などは正確には分かっていないが、結果ありきの捜査で、長安一族をおとしめるのが目的だったのではないかと思われる。家康は長安の権力増大に危機感を募らせていたが、生存中は手が打てなかったのだろう。そうでなければこんなに早く動けるはずがない。前もって企図していた断罪だったのではないか。

死んでしまえば、罪はいくらでも捏造できる。岡本大八事件を恨んだ本多側の報復ではないかという説もくすぶっている。もともと本多は長安の政敵で、よかれとは思っていなかった。

また、豊臣との戦いを前に、家康は軍資金が必要だった。豊臣討伐に反対する家臣の追放、大名の取り潰しで軍資金をかき集めていた。長安の資金も豊富だろうと、全ての代官所を探索したが、余りにも少なく、全体でも一万両にもならなかった。長安が金山、銀山を請負制にしたため、経営の悪い時のために備蓄していたお金や、配下の代官、金銀鉱山の家臣、山師などの給金がほとんどだった。嫡男の藤十郎は金品の隠蔽を追及され、いくら釈明しても受け入れられなかった。

罪状の記録は残っていないが、ほとんどが後年に創作されたと言われている。

罪名も明らかにされないまま、藤十郎をはじめ大久保長安一族の妻子、家臣ら、多くの関係者が処罰された。子ども七人は切腹となった。仏門入りは一人も許されなかった。信長にいわれ、自分の妻子さえも殺してしまう家康ならではである。妻たちが実家に戻ることを許されたのが、せめてもの救いである。

長安の死から一年半後、大坂冬夏の陣の戦いで豊臣勢を打ち破り、その一年後、家康はこの世を去った。

江戸開幕から二百六十五年間、戦のほとんどない平和な徳川の時代が、明治維新まで続いた。

長安の構築した財政基盤と、キリシタン禁止による鎖国、長崎の出島だけを交易の窓口にしたことなどが、徳川の長く続いた要因ではないかと思う。大名の妻子を人質として住まわせる参勤交代で軍資金を貯めさせない施策もその一つである。

【甲州街道と富士山】

八王子の追分交差点から西方を望むと、甲州街道からは富士山が見えないが、航空写真で見ると富士山に向けて直線になっている。飛行機のない時代にどうして方向が分かったのだろう。

【キリシタン国の考え】

宣教師を送ってキリスト教を布教、信者が多くなったら軍隊を送って信者とし、国土を占領。植民地政策そのものだ。

【幕府転覆の密書】

オランダがポルトガル船を喜望峰で拿捕したとき、大名の連判状の入った幕府転覆計画書が見つかった。長崎のカピタン・モロという人が、スペイン王に軍隊と軍船を依頼した密書だった。採掘法を学ぶためにポルトガルと関係のあった長安が誘導したのではないかと言われた。この計画は徳川、豊臣、伊達等が参加した、徳川でも豊臣でもない新政権構想といわれている。

付録　1　大久保長安断罪説のいろいろ

長安の死後、どんな罪によってお家取り潰しとなったのか、色々な説があるので、珍説を含めて紹介することにする。判断は読者に任せることにしたい。

一、不正隠蔽説

多くの金山、銀山、代官所を独占的に支配していたので、その利益で私腹を肥やしていたという説。長安の時代は、所定の年貢米、金銀などを幕府に収めれば、あとは家臣、代官、手代などにどう分配して使ってもよい請負制だった。

たくさんの代官、手代などを使って金山、銀山、代官所を管理してたわけだが、彼らの給与は幕府でなく代官頭である長安が支払っていた。また、何かあった時のために備蓄金を用意しておく必要もあった。生産性を上げた場合にはお金を自由に使うことができたので、私腹を肥やすことはないだろう。長安の時代以降、幕藩体制が固まってからは幕府が給与を払う官僚制になったので、こういう説が後年になって出てきたのではないかと思う。

ちなみに、長安は死の直前、外様大名の藤堂高虎に向けて、不正はないと家康に伝えてくれと、書き残している。

二、幕府転覆説

諸大名の押印した幕府転覆の血判状が見つかったという説。本書の中の、外国で見つかった密書もその一つである。外国に使節団を出している伊達正宗も参加していたという。

三、権力闘争説

長安は大久保忠隣の配下にいたが、忠隣と本多正信一族との権力争いがあり、巻き込まれたという説。本文にも出てくる岡本大八事件で、本多一族の恨みを買ったとも考えられる。また、武士でもない、たかが猿楽師の息子が、経済的才能だけで家康に取り入り、信頼をえて大きな権力を持ったことに対する妬みなどもあり得る。死去後の長安宅への放火も、本多一族の仕業ではないかと言われている。

四、金の棺説

長安は死ぬ前に、金の棺を作り、そこに遺骨を納め、甲州で盛大に葬儀をしてほしいという遺言を残した、という説。

五、八王子、佐渡ご朱印説

ご朱印状のない八王子九万石と佐渡を自分の所領にしていたとする説。

六、キリシタン説

キリシタンを広めるための多数の手紙が見つかったという説。長安がキリシタンだったという話もある。金銀鉱山開発、製錬法の探究などで、最新の外国の技術を知るためにキリシタンを活用していただろうが、キリシタンではないと思う。金山、銀山には多くのキリシタンがいたと言われている。山師は移動の自由が保証されていたため、布教には便利だったようである。

七、遺産争い説

多くの妾の間で莫大な財産を巡って争いになったという説。

八、遊び廻り説

お国一座、遊女などを伴って遊び廻ったという説。佐渡の民衆を喜ばせるために大勢で派手な踊りを繰り広げたことなどもあり、これを問題にされたのかもしれない。

長安の多くの実績

実績が多く、成果も大きいため、こうした色々な断罪説が出てくるのも当然かもしれない。この小作品では全ては書けないほどに多種多様な伝説がある。以下にキーワードを列記したので、巻末の参考文献で調べていただければと思う。

キーワード

江戸城築造、全国金銀鉱山開発、主な街道開発、街道に一里塚、木材開発、江戸城の漆喰用石灰を奥多摩から川で運ぶ、など。

付録　2　キリシタン関係の用語説明

金銀鉱山技術、貿易などの関係で、長安と密接な関係があったのがキリシタンだ。その用語を説明する。

一、**キリシタン**
ポルトガル語でキリスト教徒のこと。英語ではクリスチャン。

二、**デウスとキリスト**
デウスは神で、キリストは神の使者。救世主で、人間である。

三、**イエズス会**
日本に初めてカトリックを伝えた団体。フランシスコ・ザビエルが伝えた。

四、キリシタン大名

戦国時代から江戸初期にかけて入信した大名をいう。西日本に多く、有名なのが高山右近。この小説では有馬晴信が出てくる。明智光秀の娘、ガラシャもキリシタンだった。

五、隠れキリシタン

禁教を解かれた後も独自の信仰を続け、カトリックに戻らなかった信者。

六、潜伏キリシタン

二百五十年間も潜伏していた信者。世界遺産の対象である。

七、鉱山技術とキリシタン

山師の中には多くのキリシタンがいたという。海外の技術に詳しく、鉱山でも必要ということで、キリシタンを利用した。山師には移動の自由があったので、布教には便利だったようである。

解説私見
大久保長安に学ぼう

ビスマルクの言葉に「愚者は経験から学び、賢者は歴史から学ぶ」がある。この言葉は誤訳のようである。「他者の経験と自分の経験」を「歴史」と翻訳してしまったらしい。

コロナウイルス騒動で好きな高尾山での花撮影にも行けず、家から出ないでこの小説を書いた。毎日テレビやスマホでコロナのニュースを見る毎日である。全国民がコロナ評論家になりそうな勢いだ。世界中の国が対応する中で、大成功の国があるかと思えば、大失敗の国もある。ここにこそ学ぶ価値があるように思う。大国アメリカの死亡者が六月末で約十二万人以上、日本は九百六十三人、ニュージーランドは十九人、台湾は七人。米と日、NZ

と台湾の違いは、トップの早期の決断と国民への真摯な説明。これが成否を分けたと思う。消火は早いほどよいのである。

一、高山城と陣鐘

この小説を読み始めた時、ほとんどの人は、「高山城なんて聞いたことがない」「嘘でしょう」「八王子城、滝山城、片倉城ぐらいは知っているが、ほんとですか」と誰もが言うと思う。八王子城ですら知らない八王子市民が多いのも現実。ともあれ、高山城は、ちゃんとあったんです。遺跡は残っていないが、今の館町団地の中にあった。それに加えて陣鐘なんて、これまた嘘でしょうと言われる。拙著『乱世！　八王子城』のときもいろいろ言われました。そんな人いないよとか、そんな場所ないとか。高山城、陣鐘、さらに家康が高山城に来た証拠については、私が編集、装幀、広報を支援した、八王子城の研究者・前川實氏著**『八王子城**

主北条氏照の物語』に載っている。異説がありそうなので、本書カバーに鐘の寺伝、由来書を載せた。

二、八王子の城下町移動

滝山城は、信玄に攻められた時に落城寸前になった。その麓に城下町があったが、甲斐からの守りと鉄砲に対応する必要があると氏照は判断、深沢山に八王子城が作られた。その時に城下町も八王子城の麓に移された。八王子城の落城後、今や山城の時代でもあるまいと、大久保長安が現在の八王子がある平地に、政治の中心の代官所を基盤とした町を作った。武田の家臣だった長安は、本格的な城を持たなかった信玄に学んで、代官所を簡素な造りにした。信玄の「**人は石垣、人は城、人は堀**」という考えを踏襲、城は立派でなくともよいということを学んでいたのだった。現在、どこの官庁の建物も立派だが、長安に学んでプレハブにした方がいいかもしれない。たしか地方の町で、経費節減でプレハブの町役場にしたのをニュースで見たことがある。八王子は三回も町の中心が移る都移りがあったわけだ。八王子の今の町は、戦国時代最後に決まったといえる。

八王子の守りは武士ではなく、普段は農業に従事する千人同心が担当した。秀吉の兵農分離とは逆の兼業であり、いざという時には兵として戦ったようである。戦のない時代には、この方がいいかもしれない。地方の市町村議員は兼業が多いそうだが、居眠りしている国会議員は手当を減らして、テレビ参加にした方がいいのではないか。コロナウイルスの時には出席人数を減らしたようだし。学校もテレビでの学習が増えたそうなので、賢者は歴史に学んではいかがかと思う。

江戸時代、天守閣のある城は戦にはほとんど使われず、政治の中心としての機能しかなかったらしい。江戸城は国会と霞が関、他の城は都庁、市役所みたいなものだった。

三、長安関係の小説

小説を書くにあたって、図書館で文献を調べたが、あまり数がなかった。大久保長安関連の本は、地元出版社の揺籃社が主である（参考文献を参照）。念のためネットで長安を検索したら、謎の多い人物のせいか、小説がかなりあることを知った。図書館にないものはネット経由で購入し、読んでみた。

著者により観点も違うし、いろいろ楽しませてもらったが、私の期待している八王子の記述が少なかった。全国区の働きをしているため、地味な八王子は省かれてしまうようだった。

どの小説も登場人物が多く、名前が時とともに変わったりして、全体のストーリーを理解するのに苦労した。文章も慣れない者には難しいと分かった。

本書では、八王子の話題をできるだけ入れ、ストーリーを分かりやすくするために登場人物を少なくした。文章もできるだけ簡単に書くように心がけた。呼び方も、当時は「藤十郎」「石見守」などが一般的だったと思うが、「長安」で統一した。他の人物を同じようにしてある。難しい用語を避け、どうしても使用する場合は、前作**『乱世！　八王子城』**でも好評だったので、章の終わりにまとめて解説するようにした。

この小説に出てくる、**お十夜**で有名な北条氏照の菩提寺・大善寺に、松本清張の墓があることを知って驚いた。清張には『山師』という小説がある。蛇足ながら、私も大善寺の片隅に小さな墓を持っている。

長安小説一覧

・松本　清張　『山師』（文藝春秋）

・村松　梢風　『東海美女伝』（立命館出版部）
・堀　　和久　『大久保長安
　　　　　　　ナンバー２の栄光と悲惨』（講談社）
・阿井　祥介　『大久保長安黄金　殺人行』（徳間書店）
・山田風太郎　『忍法封印いま破る』（講談社）
・半村　良　　『講談　大久保長安』（光文社文庫）
・荒俣　宏　　『幕府転覆』（新潮４５）
・鬼丸　智彦　『猿楽を舞う如く』
　　　　　　　（ブイツーソリューション）
・斉藤　吉見　『大久保長安』（ＰＨＰ文庫）　など

四、長安の仕事の進め方

信長のように、攻め込んだらとことんまで追い詰めて、落ち武者狩りまでして皆殺しにし、全く新しい理想の社会を作る方法もあるにはある。佐渡の金山のように囚人を送り込み、強制労働で利益を得る方法も考えられるし、佐渡奉行の田中清六のように、生産が足りない場合は重税を課すやり方もある。

しかし、長安はそういう方法をとらなかった。**民政官**であるということも関係していると思うが、猿楽の出の長安は民衆の心を掴む方法を心得ていたのではないかと思う。石見でも佐渡でも、現状のまま引き継ぎをし、民の困っていることを解決することにより、民衆の信頼を得ていったようである。石見では水没した廃坑の間部の水抜きをして生産を上げたり、産出量に関係のない煙抜き、汚水の排出など、職場環境対策にも乗り出して、民衆の信頼を確固たるものにした。地のものは地へという考えで、重税を課すのではなく利益を地元へ還元した。地元の民衆が喜ぶように、能などの文化を保護したり、ある時はお国一座を呼んで民衆の慰労も心がけた。演出効果を上げるために派手にやり過ぎて、それが断罪の時に問題になったという話もあるほどだ。鉱山以外の関連する林業、漁業などの産業推進や支援にも力を入れていたようである。

ただ、あまりにも急激に権力を掴んだため、家康は、自分のいなくなった後、長安一族を抑えることが徳川家にできるか心配になり、断罪の道を選んだ可能性はある。まさに、出る杭は打たれる、である。

五、日本の植民地化の危機

日本は古来より植民地化の危機を乗り越えてきた。

鎌倉時代の元寇、戦国時代のキリスト教伝来、江戸末期の黒船、明治維新、第二次世界大戦、そして植民地化ではないかもしれないが、コロナウイルス。

元寇では、蒙古軍が二回にわたって攻めて来たが、台風のお蔭で蒙古軍が自滅した。これを「神風」と呼び、以来、特に理由もなく成功した場合に「神風が吹いた」というようになった。

この小説の時代背景である戦国期、徳川の官僚機構ができる前に長安が財政基盤を作り、家康がキリシタンを禁止して鎖国を行い、外国からの植民地化を防いだ。

明治維新では、東南アジアが植民地される中で、何とか海外からの侵略を防いだ。植民地化がテーマではないが、この時代の小説として友人の安土弁さん著**『龍馬の娘』**がおもしろいので一読を！

第二次世界大戦では勝てない戦いをしてしまったが、実質アメリカの半植民地のような核の傘に収まり、新しいことをすれば打たれることが多くなった。経済的に支配されている感じである。最近はアジア諸国にも追い越されている感がある。電気メーカー、自動車メーカーなどは外国資本に飲み込まれている。日本の後を

『龍馬の娘』

追う東南アジアの勢いとスピードはすざまじく、日本は追い越され、もはや後進国とさえいえる有様である。

六、私見解説まとめ

今回コロナウイルス騒動で時間ができ、ＳＮＳをだいぶ見ていたが、外国資本による北海道の水源、ホテル、学校、九州では学校、佐渡では道の駅、対馬では店などが買われているという。マスコミには出てこない。真の情報はＳＮＳで見ないと分からないのかもしれない。軍隊ではない手法で植民地化が進んでいるわけだが、なんと日本は能天気なのだろう。ノンポリ、無宗教の私でさえ分かる。

危機は知らない間にじわりじわりと襲ってくる場合と、今回のコロナのように突然の場合とがある。今回は衣食住の、食と住の弱い人たちにしわよせが来た。子どもの六人に一人が食事に困り、派遣社員の多くが住む所を失って困っているという。個人商店も大ピンチだ。
今こそ、大久保長安のように弱い立場の民のことを考えるリーダーの出現が望まれる。

あとがき

　この小説の腹案は、前作『乱世！　八王子城』を出版した時からありました。八王子城が落城後、町はどうなったのかという疑問が読者から寄せられたためです。八王子の町作りに大いに貢献した大久保長安を書きたいと、このとき思いました。しかし、前作と違って、長安の活動範囲が、東北、関東、甲信越、山陰、山陽と広く、なかなかまとまりがつきませんでした。山陰、山陽地方に行く機会があり、偶然、世界遺産の石見銀山を見学することができました。電動自転車で間部まで行った時に道を聞いた人がボランティアガイドの人で、私一人でしたが、詳しく説明をしてくださいました。これが小説を書く上での大いなるきっかけになりました。感謝です！

表紙は、前作の表紙が好評だったので、同じ金子純子さんにお願いしました。ほとんどの本が長安の同じ木像を使っているので、イメージを大きく変えて、本の最初に出てくる陣鐘を打ち鳴らす若武者を油絵で描いてもらいました。今回も素晴らしい出来になりました。感謝です！

揺籃社のスタッフの皆さんには、毎度のことですが、レベルの低い原稿を立派に完成して頂き、大感謝です。

この小説を読んで、大久保長安の活動を理解し、さらに八王子の歴史そのものにも興味を持っていただけたら嬉しく思います。歴史はとても身近にあって、知れば知るほど楽しめます。ぜひ、自己流に学び、歴史ロマンを楽しんでいただきたいと思います。

二〇二〇年十月十日

◎大久保長安関係年表

・天文14年（1545年）　猿楽師（能役者）の次男として生まれる

・天正10年（1582年）　武田勝頼自害、武田滅亡。徳川家康、甲斐を領有、長安が家康と会う

・天正18年（1590年）　八王子城の落城。北条滅亡。秀吉、甲斐領有。家康、江戸入る。長安、代官頭就任。八王子で各地代官支配

・慶長5年（1600年）　関ヶ原の戦い。徳川が石見銀山を領有

・慶長6年（1601年）　石見銀山奉行就任。徳川が甲斐を領有

・慶長8年（1603年）　佐渡奉行就任

・慶長9年（1604年）　お国太夫一座、佐渡公演

・慶長11年（1606年）　伊豆金山奉行就任

・慶長13年（1608年）　岡本大八事件

・慶長18年（1613年）　長安死去。享年六十九歳。子息七名切腹

◎参考文献

・大久保長安の会　『大久保長安に迫る』（揺籃社）
・村上　直　『代官頭大久保の研究』（揺籃社）
・吉田美江、長野美穂『長安さまのまちづくり』（揺籃社）
・和泉　清司　『近世・近代における歴史的諸相』（創英社）
・川上　隆志　『大久保長安の謎』（現代書館）
※その他、八王子市中央図書館で調べた書籍、資料など多数

【高尾山《たかおさん》の花名《はなめい》さがし隊《たい》の既刊本紹介】

大久保長安《おおくぼながやす》　家康《いえやす》を創《つく》った男《おとこ》！

2020年11月１日　印刷
2020年11月10日　第１刷発行

著　者　山《やま》　岩《いわ》　　淳《じゅん》
編　集　高尾山の花名さがし隊
発　行　揺　　籃　　社
〒192-0056　東京都八王子市追分町10-4-101
TEL 042-620-2615　FAX 042-620-2616
https://www.simizukobo.com/

印刷・製本　㈱清水工房

ISBN978-4-89708-439-8 C0093　落丁・乱丁本はお取り替えします